For Anna, who always laughs at my jokes.
Well, usually.
L.C.

To my young grandma, with love.
J.N.

This edition 2016

A CIP record for this book is available from the British Library
Printed in Paola, Malta MP080316PB04164380

Mantra Lingua
Global House
303 Ballards Lane, London N12 8NP
www.mantralingua.com
www.talkingpen.co.uk

Ținând pasul cu Cita
Keeping Up With Cheetah

Written by Lindsay Camp
Illustrated by Jill Newton

Romanian translation by
Gabriela de Herbay

Citei şi Hipopotamului le plăcea să spună glume.
De fapt, Cita spunea glumele. Hipopotamul doar asculta şi râdea cu un hohot adânc.
Glumele nu erau prea amuzante, dar Hipopotamul credea că sunt.
Şi din cauza asta ei erau aşa buni prieteni.

Cheetah and Hippopotamus loved telling jokes.
Actually, Cheetah told the jokes. Hippopotamus just listened and laughed – a deep, bellowy laugh.
The jokes weren't very funny, but Hippopotamus thought they were.
And that's why they were such good friends.

Dar pe Cita o enerva ceva la Hipopotam
– Hipopotamul nu putea să alerge
foarte repede.

But one thing about Hippopotamus
annoyed Cheetah – Hippopotamus
couldn't run very fast.

„Haide Hipopotamule,“ striga Cita nerăbdătoare. „Dacă nu poți ține pasul cu mine, nu vei putea auzi noua mea glumă.“

“Come on Hippopotamus,” Cheetah would shout impatiently. “If you can’t keep up with me, you won’t hear my new joke.”

Dar a fost în zadar. Hipopotamul nu putea fugi atât de repede ca şi Cita.
Atunci, Cita s-a împrietenit cu Struțul.
Hipopotamului i-a venit să plângă. Dar in loc să plângă el s-a antrenat la fugă până a rămas cu răsuflarea tăiată şi a trebuit să se aşeze.

But it was no good. Hippopotamus couldn't run as fast as Cheetah. So Cheetah made friends with Ostrich instead. Hippopotamus felt like crying. But, instead, he practised running until he was so out of breath that he had to lie down.

Şi a înţeles că tot nu poate să ţină pasul cu Cita.

And he knew he still couldn't keep up with Cheetah.

Struțul putea – oricum, foarte aproape. Cita se gândea cât e ea de deşteaptă să-şi fi făcut un nou prieten aşa de bun.
„Struțule, vrei să asculți ultima mea glumă?“ întrebă ea.

Ostrich could – very nearly, anyway. Cheetah thought how clever he was to have made such a good new friend.
“Would you like to hear my new joke, Ostrich?” he asked.

„Nu, mulțumesc,“ spuse Struțul. „Nu-mi plac glumele. Hai să mai fugim.“

“No thank you,” said Ostrich. “I don’t like jokes. Let’s run some more.”

Cita fugise îndeajuns pentru o zi. Ea vroia să spună glume. Atunci, ea s-a împrietenit cu Girafa. Acum Hipopotamul era şi mai hotărât să alerge la fel de repede ca şi Cita.

Cheetah had run enough for one day. He wanted to tell jokes. So he made friends with Giraffe instead. Now Hippopotamus was even more determined to run as fast as Cheetah.

Deci s-a ascuns şi s-a uitat cum Girafa şi Cita au galopat pe lângă el. Picioarele lungi ale Girafei zburau înainte, iar Cita dădea din coadă dintr-o parte în alta ca să-şi menţină echilibrul.

So he hid and watched as Giraffe and Cheetah galloped by. Giraffe's long legs flew out in front and Cheetah lashed his tail from side to side to keep his balance.

Atunci Hipopotamul a încercat să facă şi el exact la fel.
Nu era uşor.

Then Hippopotamus tried to do the same.
It wasn't easy.

Hipopotamul căzu jos cu o TROSNITURĂ!
Va trece mult timp până el va putea să țină
pasul cu Cita.

Hippopotamus fell down with a CRASH!
It would be a long time before he could
keep up with Cheetah.

Girafa putea – oricum, foarte
aproape.

Giraffe could – very
nearly, anyway.

„Girafo, vrei să auzi ultima mea glumă?“ întrebă Cita.
„Poftim?“ spuse Girafa. „Nu te pot auzi de aici de sus.“
„La ce e bun un prieten care nici nu-ți ascultă glumele?“ se gândi Cita supărată.

"Would you like to hear my new joke, Giraffe?" Cheetah asked.
"Pardon?" said Giraffe. "I can't hear you from up here."
"What's the good of a friend who doesn't even listen to your jokes?" thought Cheetah crossly.

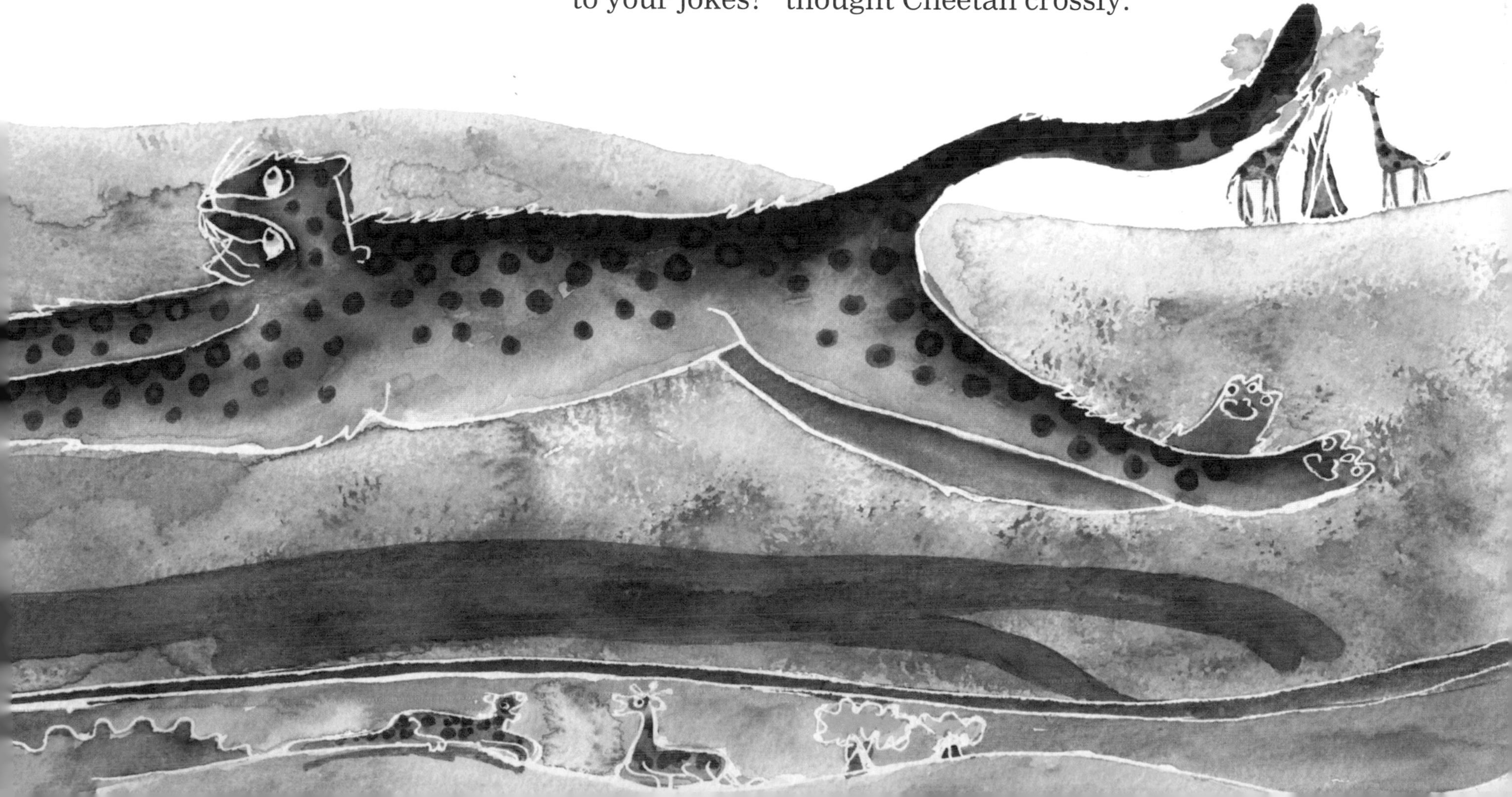

Atunci ea se împrieteni cu Hiena.
Când a văzut asta, Hipopotamul se simți înfierbântat şi necăjit.
Era doar un singur lucru care l-ar putea face să se simtă mai bine.

And he made friends with Hyena instead.
When Hippopotamus saw this, he felt hot and bothered.
There was only one thing that would make him feel better.

O bălăceală noroioasă, bună şi lungă.
Hipopotamului îi plăcea să se bălăcească. Cu cât era mai adânc şi mai noroios cu atât îi plăcea mai mult. Dar el nu s-a bălăcit de mult timp pentru că Cita a spus ca e un obicei murdar.

A good, long, deep, muddy wallow.
Hippopotamus loved wallowing. The deeper, the muddier, the more he enjoyed it. But he hadn't had a wallow for a long time, because Cheetah said it was dirty.

„Ei, bine,“ se gândi Hipopotamul, „Acum pot să fac ce vreau.“ Şi sări în râu – PLEOSC!
Se simți minunat.

“Well,” thought Hippopotamus, “I can do what I like.”
And he dived into the river – SPLOOSH!
It felt wonderful.

Cum stătea întins acolo se gândi cât a fost de prost.
Nu putea să fugă repede dar putea să se bălăcească. Şi deşi era trist să piardă un prieten, ştia că niciodată nu va putea ține pasul cu Cita.

As he lay there, he thought how silly he'd been. He couldn't run fast, but he could wallow. And although he was sad to lose a friend, he knew that he would never be able to keep up with Cheetah.

Hiena putea – oricum, foarte aproape. Cita era foarte mulțumită.
„Cioc! Cioc!“ spuse Cita.
„Ha-hi-hi-hiii!“ spuse Hiena.

Hyena could – very nearly, anyway. Cheetah was very pleased.
"Knock knock," said Cheetah.
"Ha-hee-he-heeee!" said Hyena.

„Tu trebuie să spui „Cine e acolo?““ zise iute Cita. „Ce rost are să spun noua mea glumă dacă tu râzi înainte de a ajunge la partea hazlie?“
„HA-HA-HI-HI-HIII!“ țipă Hiena.

"You're supposed to say, 'Who's there?' " snapped Cheetah. "What's the point of telling my new joke, if you laugh before I get to the funny bit?"
"HAH-EH-HEH-HEE-HEE!" screamed Hyena.

Cita a înțeles atunci că de fapt ce are ea nevoie, este un prieten cu totul diferit. Ea putea să fugă şi singură, dar spunând glume era distractiv numai dacă cineva te ascultă – şi râde doar la partea hazlie. Unde ar putea ea să găsească un astfel de prieten?

Then Cheetah realised that what he really needed was a different sort of friend. He could run by himself, but telling jokes was only fun if someone listened – and only laughed at the funny bits. Where could he find a friend like that?

Ea deja avea unul! Cita alergă la copacul umbros dar Hipopotamul nu era acolo. Şi cum plecă ea agale, se gândi cât a fost ea de proastă să piardă un prieten aşa de bun.

He already had one! Cheetah ran to the shady tree but Hippopotamus wasn't there. As Cheetah walked slowly away, he thought how silly he had been to lose such a good friend.

Deodată a văzut o pereche de ochi
privind-o din râu.

Suddenly he saw a pair of eyes
watching him from the river.

„Cioc! Cioc!“ spuse Cita.
„Cine e acolo?“ spuse Hipopotamul.
„H-ita, bineînțeles!“ spuse Cita.
Şi Hipopotamul râse şi râse.

“Knock knock,” said Cheetah.
“Who’s there?” said Hippopotamus.
“H-eetah, of course!” said Cheetah.
And Hippopotamus laughed
and laughed.